CW00537682

Ingo Siegner

Der kleine Drache Kokosnuss und der große Zauberer

Für Yasemin

Ingo Siegner

Der kleine Drache Kokosnuss
und der große Zauberer

cbj

cbj ist der Kinder- und Jugendbuchverlag
in der Verlagsgruppe Random House

Verlagsgruppe Random House FSC-DEU-0100
Das für dieses Buch verwendete FSC®-zertifizierte Papier
Profibulk von Sappi liefert IGEPA.

Gesetzt nach den Regeln der Rechtschreibreform.

11. Auflage

Umschlagbild und Innenillustrationen: Ingo Siegner
Lektorat: Martina Kuscheck
Umschlagkonzeption: Basic-Book-Design, Karl Müller-Bussdorf
Ku · Herstellung: WM
Satz: Uhl+Massopust, Aalen
Reproduktion: Lorenz & Zeller, Inning a. A.
Druck: Polygraf Print
ISBN 978-3-570-12807-7
Printed in Slovak Republic

www.cbj-verlag.de
www.drache-kokosnuss.de

Inhalt

Begegnung im Klippenwald

Einmal im Jahr, wenn es Herbst wird auf der Dracheninsel und die Blätter der Bäume sich rot und gelb färben, gehen Kokosnuss und Matilda in den Klippenwald, um Pilze zu suchen.
Heute sammeln sie den ganzen Tag über, bis ihre Körbe bis obenhin gefüllt sind mit den herrlichsten Pilzen. Gerade wollen sie sich auf den Rückweg machen, da hält Matilda ihre Nase in die Luft und schnüffelt.
»Was schnüffelst du denn?«, fragt Kokosnuss.
»Ich rieche Ziege«, antwortet Matilda.
Kokosnuss grinst: »Was ist denn mit deiner Nase los? Im Klippenwald gibt's doch keine Ziegen!«
Matilda aber lässt ihren Korb stehen und marschiert in Richtung Ziegengeruch.
»Warte auf mich!«, ruft Kokosnuss.
Bald steigt auch ihm Ziegengeruch in die Nase.
Die beiden bleiben wie angewurzelt stehen.

»Gibt's ja nicht!«, flüstert Kokosnuss. »Eine echte Ziege, hier im Klippenwald!«
Durch ein paar Büsche hindurch sehen sie eine weiße Ziege, die verzweifelt versucht, eine Flasche zu öffnen. Die Flasche steckt im Wurzelwerk eines mächtigen Baumes.
»Verflixt noch mal!«, flucht die Ziege. »Dieser blöde Korken, diese bescheuerten Ziegenfüße!«
Kokosnuss und Matilda treten hinter dem Busch hervor: »Können wir dir helfen?«
Vor Schreck fällt die Ziege auf ihren Ziegenpopo: »Äh, wo kommt ihr denn her?«
»Vom Pilzesuchen«, antwortet Matilda. »Und wo kommst du her?«

Die Ziege mustert erst den jungen Feuerdrachen und dann das kleine Stachelschwein. Verstohlen blickt sie sich um.
»Könnt ihr ein Geheimnis für euch behalten?«
»Können wir.«
»Ich bin in Wirklichkeit keine Ziege, sondern ein großer Zauberer.«
Kokosnuss und Matilda blicken sich an. Dann brechen sie in schallendes Gelächter aus. Sie müssen so lachen, dass sie sich am Waldboden kugeln.
Die Ziege ist empört: »Wenn ihr mir nicht glaubt, dann erzähle ich euch überhaupt nichts!«
Kokosnuss betrachtet die Ziege. Plötzlich kriegt er einen Schreck: »Bist du etwa der Zauberer Ziegenbart?«[1]
»Ziegenbart? Bei allen Magiern des Erdkreises, ich doch nicht! Ich bin Holunder, Herr über das Flaschenland.«

[1] Die Geschichte vom dünnen Zauberer Ziegenbart wird in dem Buch »Der kleine Drache Kokosnuss« erzählt.

»Das Flaschenland?«
Da deutet die Ziege auf die Flasche: »Wenn ihr ganz genau hineinschaut, dann könnt ihr das Flaschenland sehen.«
Kokosnuss und Matilda blicken durch das grüne Glas ins Innere der Flasche. Und tatsächlich, wenn sie ganz nah heranrücken, erkennen sie, was die Ziege meint: ein winziges Land in einer Flasche!
»Bitte«, sagt Kokosnuss, »erzähl uns dein Geheimnis!«

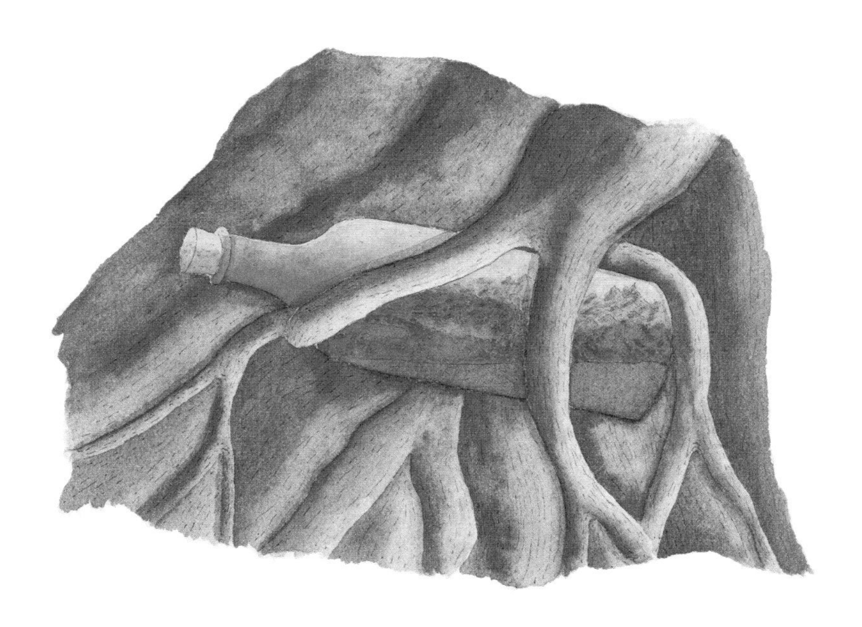

Holunders Geschichte

Vor ein paar Tagen noch war ich der große Zauberer Holunder, Herrscher über das Flaschenland. Von morgens bis abends habe ich das Flaschenland regiert. Ich glaube, ich war ein guter Herrscher. Na ja, und plötzlich, vor ein paar Tagen, ist es passiert.«

»Was ist passiert?«, fragt Matilda.

Die Ziege, besser gesagt: Holunder, senkt den Kopf. »Na ja, ich habe so viel zu tun gehabt, dass ich nur für einen winzigen Moment auf meinen Zauberstab nicht aufgepasst habe. Wer konnte denn ahnen, dass ausgerechnet dieser verflixte Ziegenbart sich in mein Schloss eingeschlichen hatte und nur darauf wartete, an meinen Zauberstab zu gelangen!«

Der böse Zauberer Ziegenbart!, durchfährt es Kokosnuss und Matilda.

»Ziegenbart überraschte mich«, fährt Holunder

mit zitternder Stimme fort. »Er hatte in der einen Hand meinen Zauberstab und in der anderen seinen eigenen. Dann sprach er den Schweinefluch aus.«
»Schweinefluch?«
»Ja, ein Fluch, der einen Zauberer in ein Schwein verwandelt und ihn seiner Zauberkraft beraubt. Der Schweinefluch wird sehr selten ausgesprochen, denn er funktioniert nur, wenn man den Zauberstab des anderen besitzt. Ich Esel habe einfach nicht aufgepasst und war von einem Moment auf den anderen ein Schwein ohne Zauberkraft.«
»Aber wie ein Schwein siehst du nicht gerade aus«, sagt Kokosnuss.
»Die Geschichte ist noch nicht zu Ende«, erwidert Holunder. »Das Schlimmste ist, dass Ziegenbart meine Gestalt angenommen hat und jetzt Herrscher über das Flaschenland ist. Alle denken jetzt, er sei Holunder! Und mich armes Schwein hat er aus der Flasche geworfen!«

»Und was ist dann passiert?«, fragt Matilda. »Ich stand als Schwein im Klippenwald und habe überlegt, wen ich um Hilfe bitten könnte.« »Die Hexe Rubinia![2]«, ruft Kokosnuss.

[2] Die Hexe Rubinia wohnt inmitten der Großen Wüste. Auch sie spielt in dem Buch »Der kleine Drache Kokosnuss« eine Rolle.

»Genau. Ich bin also durch die Wüste bis zu Rubinias Hexenturm marschiert. Das war vielleicht anstrengend, so als Schwein! Und dann erst Rubinia: Ihr wisst vielleicht, dass sie etwas schwierig ist und auch nicht besonders gut zaubern kann.

Eigentlich sollte sie mich in einen Adler verwandeln. Als Adler wäre ich leicht wieder ins Schloss zurückgelangt, hätte eine günstige Gelegenheit abgewartet, die Zauberstäbe an mich gebracht und den Gegenzauber ausgesprochen! Aber nein, Rubinia hat aus mir eine Ziege gemacht! Weil sie beim Zaubern dauernd an Ziegenbart denken musste, verflixt noch mal. Als Ziege werde ich doch nicht mal ins Zauberschloss vorgelassen!«
»Außer wenn wir dabei sind«, murmelt Kokosnuss nachdenklich.
»Wie meinst du das?«, fragt Holunder.
»Na ja«, erklärt Kokosnuss. »Ziegenbart will doch schon lange einen Feuerdrachen fangen. Also, wenn Matilda und ich mitkommen, lässt er uns bestimmt ins Schloss, nämlich um mich gefangen zu nehmen.«
Holunder springt freudig auf die Hinterbeine: »Und während Ziegenbart mit dir beschäftigt ist, greifen wir uns die Zauberstäbe!«

»Au Backe«, sagt Matilda. »Klingt etwas abenteuerlich, wenn ihr mich fragt.«
Holunder senkt den Kopf: »Aber es ist die einzige Möglichkeit, Ziegenbart zu besiegen.«
Kokosnuss überlegt. Eigentlich möchte er diesem Ziegenbart nicht noch mal begegnen. Aber weil er Holunder helfen möchte und unbedingt einmal diese Flaschenwelt sehen will, gibt er sich einen Ruck: »Also gut, ich komme mit!«
Matilda blickt Kokosnuss mit großen Augen an. Dann schluckt sie und sagt: »Äh, okay, dann bin ich auf jeden Fall auch dabei.«
Holunder macht einen großen Freudensprung: »Das ist ziegenhaft super von euch, dass ihr mitkommt!«
»Aber«, fragt Kokosnuss, »wie kommt man denn in die Flasche hinein?«,
Holunder grinst: »Korken rausziehen und Nase reinstecken!«
»Das ist alles?«
»Das ist alles. Und es wäre nett, wenn ihr mir

dabei helfen würdet. Mit diesen Ziegenhufen kriege ich den Korken nicht von der Flasche.«
»Kein Problem«, sagt Kokosnuss. Im Nu hat er den Korken von der Flasche gezogen.
Holunder hält seine Ziegennase an die Flaschenöffnung und Plopp!, ist er verschwunden.
»Ist ja irre!«, staunt Matilda.
»Wollen wir?«, fragt Kokosnuss.
»Auf geht's!«, antwortet Matilda und steckt ihre Nase in die Flasche.

Kürbis-Knut

Hilfe!!!«, schreien Kokosnuss und Matilda. In rasendem Tempo werden sie durch den Flaschenhals gezogen und kurz darauf landen sie mit zwei lauten Klatschern gleich neben Holunder im tiefblauen Wasser eines großen Sees. Kokosnuss blickt hinauf zum Flaschenhals. »Wie kommen wir denn da jemals wieder hinauf?«

»Das geht nur mit der Hilfe des Herrschers vom Flaschenland«, antwortet Holunder. »Aber jetzt lasst uns losschwimmen. Es liegt noch ein weiter Weg vor uns.«
Staunend blickt Matilda sich um. Über ihnen wölbt sich ein riesiger Flaschenhimmel. »Wie ist denn das Flaschenland eigentlich entstanden?«, fragt das Stachelschwein.
»Das weiß niemand«, antwortet Holunder. »Man weiß nur, dass es das Flaschenland schon sehr lange gibt.«

Und ohne noch ein weiteres Wort zu verlieren, beginnt Holunder zu schwimmen. Kokosnuss und Matilda beeilen sich hinterherzukommen.
»Holunder, warte!«, keucht Matilda.
Da hält Holunder inne, dreht sich um und sagt: »Besser, ihr nennt mich nicht mehr bei meinem richtigen Namen. Wer weiß, wer uns alles zuhört. Denkt immer daran: Ziegenbart kann sich in jede Gestalt verwandeln.«
»Du meinst, er wird uns belauschen?«, fragt Kokosnuss. Bei diesem Gedanken fährt ihm ein Schauer über den Rücken.

»Keine Ahnung. Aber wir sollten vorsichtig sein. Also vergesst nicht: Von jetzt an bin ich nur eine einfache Ziege.«

Als die Sonne untergeht, erreichen sie das Ufer. Erschöpft kriechen die drei Abenteurer in das hohe Gras und im Nu sind sie eingeschlafen.

Am nächsten Morgen werden sie von warmen Sonnenstrahlen geweckt. Kokosnuss und Matilda blicken sich um. Der Himmel leuchtet blau und grün und gelb. Lange Strände ziehen sich am Ufer des Sees entlang. Hinter ihnen erhebt sich ein tiefgrüner Wald.

Holunder spitzt plötzlich die Ohren: »Hört ihr das?«

Ein merkwürdiger Gesang dringt zu ihnen herüber. Kurz darauf schaukelt ein klappriges Holzgefährt aus dem Wald heraus. Es wird von einem Esel gezogen und hinten auf der Ladefläche türmt sich ein Berg von Kürbissen. Vorn auf dem Kutschbock sitzen ein struppiger Rabe und ein Zwerg mit einem Strohhut auf dem Kopf.

»Ich bin der Kürbis-Knut,
meine Kürbisse sind gut,
sie sind sogar die be-hesten,
von Osten bis nach We-hesten,
von Süden bis nach Nord,
steh ich zu meinem Wort!«

»Das ist ein Händlerzwerg«, flüstert Holunder.
Da hält der Karren an. »Nanu, wer seid ihr denn?«, ruft der Zwerg ihnen zu.
»Äh, guten Morgen«, antwortet Kokosnuss und stellt sich und die anderen vor. »Wir kommen von draußen, äh, vom Klippenwald. Wir wüssten ganz gerne, wie wir wieder aus der Flasche herauskommen.«
Der Zwerg beugt sich neugierig vor: »Das ist nicht so einfach. Das geht nur mit der Erlaubnis von Holunder, dem großen Zauberer.«
»Und, äh, wie finden wir diesen Holunder?«
»Tja«, antwortet der Zwerg, »da müsst ihr zum Zauberschloss. Das ist weit weg von hier.«
»Könnten Sie uns ein Stück mitnehmen?«
»Sicher, nehmt nur hinten bei den Kürbissen Platz. Ach, und ich bin übrigens der Kürbis-Knut.«
Sobald Kokosnuss, Matilda und die Ziege Holunder zu den Kürbissen gestiegen sind, schwingt der Händlerzwerg die Zügel.

Der Esel schnaubt und der Karren setzt sich langsam in Bewegung.
Holpernd geht es über einen mit grobem Stein gepflasterten Weg durch den Wald. Holunder blickt misstrauisch zum Kutschbock hinauf. Irgendetwas stimmt dort oben nicht. Auch Kokosnuss hat ein komisches Gefühl.
Als sie schon eine ganze Weile unterwegs sind, flüstert der kleine Drache: »Der Rabe schaut so seltsam hier herüber.«
»Hab ich auch bemerkt«, flüstert Matilda zurück.

In diesem Augenblick breitet der Rabe seine Flügel aus und fliegt mit lautem Gekrächze davon.

»Heda!«, ruft Knut ihm hinterher. »Gefällt dir wohl nicht mehr bei mir?! So was!«

»Seit wann hattest du denn den Raben?«, fragt Kokosnuss.

»Erst seit heute Morgen«, antwortet Knut. »Der ist mir einfach zugeflogen.«

Kokosnuss und Matilda werfen Holunder einen Blick zu. Die Ziege nickt ganz unmerklich. Alle drei denken das Gleiche:
Das war bestimmt kein normaler Rabe.
Bald kommen sie durch eine weite Ebene voll saftiger Kornfelder. Auf manchen der Felder ragen hier und da kleine graue Felsen empor. Kokosnuss klettert nach vorn auf den Kutschbock.
»Sag mal, Knut, gibt es denn gar keine Bauern, die das Korn ernten? Ich habe noch keinen einzigen gesehen.«

»Siehst du die Felsen, die mal hier und mal dort aus dem Korn ragen?«, fragt Knut mit finsterer Miene. »Das sind einmal die Bauern dieser Gegend gewesen. Fleißige Leute, echte Kornzwerge. Jetzt sind sie alle versteinert.«
Da mischt sich Matilda ein. »Aber wie konnte denn das passieren?«
»Das ist eine sehr traurige Geschichte«, antwortet Knut. »Die Bauern haben immer gerne einen Teil ihres Korns an unseren großen Zauberer Holunder abgegeben, damit er es an die Armen verteilt. Plötzlich aber – es ist erst einige Wochen her – wollte Holunder doppelt so viel Korn wie üblich, aber nicht für die Armen, sondern für sich selbst. Das wollten die Bauern natürlich nicht mitmachen, denn dann hätten sie für sich nicht mehr genug Korn gehabt. Holunder wurde wütend und hat alle in Stein verwandelt. Und jetzt erntet niemand das Korn und bald wird es deswegen eine große Hungersnot geben.«

»Das ist ja schrecklich!«, sagt Kokosnuss.
»Ja, und das Schrecklichste ist, dass Holunder seitdem jeden in Stein verwandelt, der schlecht über ihn spricht oder auch nur eine andere Meinung hat als er. Das ganze Flaschenland leidet darunter. Früher waren alle so fröhlich und Holunder war ein so wunderbarer Zauberer, doch seit einiger Zeit ist er wie ausgewechselt. Als wäre er ein ganz anderer.«
Nach diesen Worten versinkt jeder auf dem Karren in Gedanken. Holunder hat alles mitangehört und ist so wütend geworden, dass er sich beinahe verraten hätte.

Immer mehr von den kleinen Felsen tauchen jetzt auf, sogar manche Bäume sind versteinert. Dann kommen sie durch ein Dorf, das ganz und gar zu Stein erstarrt ist.
»Das Dorf der Bauern«, sagt Knut leise.
Kokosnuss schüttelt den Kopf und blickt zu Holun-

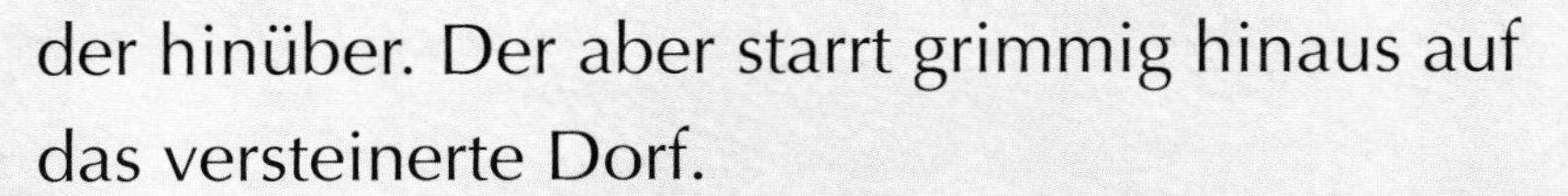

der hinüber. Der aber starrt grimmig hinaus auf
das versteinerte Dorf.
Bald haben sie die Kornfelder und die Versteinerungen hinter sich gelassen. Von der Kuppe eines
Berges aus sehen sie das Zauberschloss, das sich
auf einem Felsen über dem Land erhebt.

Der Händlerzwerg lenkt den Karren hinab, weiter über die Straße zwischen blühenden Feldern hindurch, über den Markt und an der Stadt vorbei. Überall wimmelt es von Zwergen, Trollen, Kühen, Schweinen und anderem Getier.

Hier und da aber sehen die Freunde auch graue Versteinerungen. Und je näher sie dem Schloss kommen, desto mehr Versteinerungen säumen den Weg.

»Ich bringe euch noch bis zur Zugbrücke hinauf«, sagt Knut.

Die Zugbrücke ist zum Glück heruntergelassen. Das Schlosstor dahinter ist riesengroß und aus

schwerem Eichenholz gefertigt. Die Schlossmauer scheint bis in den Himmel zu ragen und die Türme glitzern im Licht der Mittagssonne. Kokosnuss, Matilda und Holunder springen vom Karren und sagen Knut Lebewohl.
»Ich drücke euch die Daumen«, verabschiedet sich Knut und lenkt den Karren zur Stadt hinab.
»Vielen Dank für alles!«, rufen Kokosnuss und Matilda, und sogar Holunder mäht einen Ziegengruß zum Abschied. Dann überqueren die drei Freunde die Zugbrücke und klopfen an das mächtige Schlosstor.

Im Zauberschloss

Am Schlosstor öffnet sich eine Klappe und ein Erdwurz guckt heraus. »Ja bitte?«
»Wir möchten zum großen Zauberer Holunder«, sagt Kokosnuss.
Der Erdwurz betrachtet die drei Fremdlinge. Er rümpft die Nase und schließt die Klappe wieder. Dann passiert lange Zeit nichts. Gerade will Kokosnuss noch einmal klopfen, da öffnet sich unter lautem Knarren das riesige Tor.
Der Erdwurz kommt hinter der mächtigen Kettenwinde hervor und brummt: »Folgt mir!«
Staunend betrachten Kokosnuss und Matilda den weitläufigen Hof und die hohen Gebäude. Aber alles ist wie ausgestorben. Überall sehen sie graue Versteinerungen.
In diesem Moment zerreißt ein ohrenbetäubender Knall die Stille. In einer riesigen Rauchwolke erscheint ein weißbärtiger Zauberer.

Der Erdwurz fällt ehrfürchtig auf die Knie und ruft: »O Holunder, mein Gebieter!«
Der Zauberer grinst böse, schwingt seinen Zauberstab und murmelt: »Eile Seil! Seile eilig Drache ein, soll für immer meiner sein!«
Wie aus dem Nichts zischt ein Seil herbei und schlingt sich um den kleinen Drachen.

Die Ziege Holunder aber rennt zum Schlossbrunnen und springt kopfüber hinein.
»Matilda! Lauf!«, ruft Kokosnuss.
Matilda spurtet zum Brunnen und ist im Nu darin verschwunden.
Da schleudert der Zauberer einen Kugelblitz in den Brunnen hinein. Weit unten explodiert der Blitz und eine schwarze Rauchsäule steigt empor. Der Erdwurz fällt erschrocken auf seinen Hintern.
»Verschwinde!«, herrscht der Zauberer ihn an.
Der Erdwurz rennt davon, so schnell er kann.

Der Zauberer aber zieht den armen Kokosnuss hinter sich her in das Schloss hinein. Genau in dem Augenblick, als die große Schlosstür sich hinter ihnen schließt, wird aus dem kleinen, dicken, weißbärtigen Holunder der große, dürre Zauberer Ziegenbart. Er trägt einen weiten schwarzen Mantel und einen breitkrempigen Hut. Mit dem kleinen Drachen steigt er eine große Wendeltreppe hinauf bis zum Turmverlies. Rasselnd springt die Gittertür zu. Im selben Moment löst sich das Seil, das Kokosnuss gefangen hielt. Böse grinst der Magier durch das Gitter. Dann verzieht er sich in seine Gemächer.

Traurig und allein bleibt Kokosnuss zurück. Was ist bloß mit den anderen geschehen?

Noch bevor der Kugelblitz explodierte, sind Holunder und Matilda durch einen Geheimgang im Brunnen geschlüpft und bis in den Schlosskeller gekrochen.
»Aber wie geht's jetzt weiter?«, fragt Matilda verzweifelt. »Wir müssen Kokosnuss helfen!«
»Keine Sorge«, erwidert Holunder. »Ziegenbart hat ihn bestimmt in das Turmverlies gesperrt. Ich kenne einen Geheimgang dorthin.«

Die beiden schleichen durch niedrige dunkle Gänge. Plötzlich hört Matilda ein Geräusch.
»Warte mal!«, flüstert das kleine Stachelschwein.
»Was ist?«, fragt Holunder.
»Ich glaube, wir werden verfolgt.«
Holunder schnüffelt: »Ich rieche nichts. Dann ist da auch nichts. Ziegen können sehr gut riechen.«
Sie setzen ihren Weg fort. Immer wieder stutzt Matilda, denn da war schon wieder ein Geräusch. Sie schaut zurück, aber es ist nichts zu sehen. Dann beeilt sie sich, Holunder einzuholen.

Verzweifelt sitzt Kokosnuss im dunklen Turmverlies. Er muss immerzu an Matilda und Holunder denken. Hoffentlich haben sie sich retten können!
Plötzlich vernimmt er ein leises Scharren. Es kommt von der Mauer her. Merkwürdig! Da bewegt sich ein großer Mauerstein. Kokosnuss weicht erschrocken zurück. Verblüfft sieht er, wie ein Ziegenkopf hinter dem Stein hervorlugt.
»Ist die Luft rein?«, flüstert Holunder, während gleich neben ihm Matilda auftaucht.
»Wo kommt ihr denn her?« Kokosnuss will vor Freude laut aufschreien, aber Ziegenbart darf sie auf keinen Fall hören.
»Geheimgänge!«, flüstert Matilda. »Überall. Und Holunder kennt sie alle!«
Da dringt aus dem Geheimgang wieder dieses seltsame Geräusch. Es kommt immer näher. Und auf einmal ertönt ein gespenstisches »Buhuuuu!«.
»Hilfe!«, schreit Holunder erschrocken.

Ein seltsames Wesen zischt aus dem Gang, schneidet wilde Grimassen und gibt dabei die furchtbarsten Laute von sich: »Buhu! Aga! Ugu!« Kokosnuss und Matilda starren das Wesen ungläubig an.
»Ob das echt ist?«, fragt Kokosnuss.
Da verstummt das gespenstische Heulen. Entsetzt blickt das durchsichtige Wesen auf den kleinen Drachen und das Stachelschwein. Dann fängt es jämmerlich an zu weinen: »Hühüüüü! Niemand erschreckt sich mehr vor mir! Bühüüüü!«

Da fragt Matilda: »Bist du denn ein echtes Gespenst?«
»Ja«, schnieft das Gespenst. »Ganz echt! Ich heiße Gerd. Früher war ich ein richtiger Taschendieb und jetzt bin ich ein richtiges Gespenst. Aber niemand merkt das. Und seitdem dieser schreckliche Ziegenbart den Zauberer Holunder verjagt hat, wohnt niemand mehr im Schloss, den ich erschrecken könnte. Nicht mal einen Diener gibt es. Ach, würde doch Holunder wiederkommen! Er war der Einzige, der sich richtig erschreckt hat!«
Kokosnuss und Matilda blicken auf die zitternde Ziege, die jetzt erstaunt zu dem Gespenst hinaufblickt und fragt: »Ich war der Einzige, der sich vor dir erschreckt hat?«
»Wieso du? Du bist doch bloß eine blöde Ziege!«, erwidert Gerd das Gespenst.
Da steht Holunder auf und sagt empört: »Ich muss schon bitten! Ich bin keine blöde Ziege, sondern der große Zauberer Holunder!«

»Hä?« Gerd versteht nur Bahnhof.
Da erklärt ihm Matilda, dass die Ziege in Wirklichkeit keine Ziege, sondern der große Zauberer Holunder ist und dass der böse Ziegenbart in ein Schwein verwandelt werden soll.
»Ha!«, lacht Gerd. »Ein Schwein! Das gefällt mir!«
In diesem Augenblick schnippt Kokosnuss mit den Fingern: »Ich hab's! Gerd hat doch gesagt, dass er mal Taschendieb war.«
»Der beste Taschendieb im ganzen Flaschenland!«, sagt Gerd mit stolzgeschwellter Gespensterbrust.
Kokosnuss wendet sich an Holunder: »Zauberer haben doch bestimmt immer eine Schublade voller alter Zauberstäbe, die nicht mehr funktionieren!«
»Ja, wieso?«
»Na ja, Gerd könnte doch dem Ziegenbart die richtigen Zauberstäbe klauen und ein paar falsche in den Mantel stecken.«

Holunders Augen leuchten: »Und ich verwandle Ziegenbart mit den beiden richtigen Zauberstäben in ein Schwein!«
»Hm«, murmelt Kokosnuss und schaut zu Gerd: »Glaubst du, du schaffst es, die Zauberstäbe auszutauschen?«
Gerd rollt mit den Augen: »Pah! Mit Leichtigkeit! Wenn ich damit diesem Ziegenbart eins auswischen kann, mit dem größten Vergnügen!«
»Dann weiß ich, wie wir es machen!«, flüstert Kokosnuss und erklärt den anderen seinen Plan.

Die Verwandlung

Leise schwebt Gerd durch die Mauern hindurch in Ziegenbarts Zimmer. Der Zauberer liegt auf dem Sofa und schnarcht wie ein Nilpferd. Beinahe lautlos zieht Gerd die Schublade mit den alten Zauberstäben auf, nimmt zwei Stäbe heraus und fliegt zum Sofa hinüber. Seine durchsichtigen Finger gleiten geschickt in die Taschen von Ziegenbarts Mantel. Vorsichtig zieht er die beiden richtigen Zauberstäbe heraus und schiebt dafür die falschen hinein. So leise er gekommen war, schwebt er wieder hinaus.

»Ich habe sie! War ganz einfach!«, verkündet Gerd stolz.
»Dann kann es losgehen!«, sagt Holunder.
Die Freunde holen tief Luft und rufen aus vollem Halse:

»Ziegenbart, du alte Socke,
stinkst wie Käse in der Glocke!!«
Nur einen Augenblick später hören sie Schritte. Wütend stürzt der Zauberer zum Verlies. Verblüfft bleibt er vor dem Gitter stehen. In der Mitte des Verlieses stehen das Stachelschwein, die Ziege und der kleine Drache.
»Was geht hier vor?«, keift Ziegenbart.
Kokosnuss, Matilda und Holunder aber rufen:
»Ziegenbart, du Kakadu,
stinkst wie ausgezogner Schuh!«
Da reißt Ziegenbart das Gitter auf, springt in das Verlies, schwingt die beiden Zauberstäbe und ruft:
»Das war euer letztes Wort!
Werdet nun zu Stein – sofort!«
Doch nichts geschieht. Keiner im Verlies wird zu Stein.
Ziegenbart starrt völlig verblüfft auf seine Zauberstäbe.

In diesem Moment schwingt Holunder die echten Zauberstäbe und ruft:

»Horkus Porkus Apfelmus,
dreimal schwarze Katze,
Ringelschwanz und Schweinefuß,
Ohren schlapp und Glatze!
Gri Gra Grunz!
Porca miseria!«

Plötzlich ist es ganz still. Kokosnuss, Matilda, Holunder und Gerd halten den Atem an. Mit einem Mal strömt grüner Qualm aus Ziegenbarts Ohren, seine Haare verschwinden und er beginnt zu schrumpfen.
»Was passiert mit mir?!«, kreischt der Zauberer. Seine Nase und seine Ohren wachsen, seine Beine werden kürzer und kürzer, sein Körper wird runder und runder und zum Schluss wächst ein Ringelschwänzchen aus seinem dicken Hintern. Und nun spricht er auch nicht mehr,

sondern quiekt und grunzt und hüpft in Richtung Schlosstreppe.
Plötzlich ertönt hinter Kokosnuss ein lauter Knall: PUFF! – und dort, wo eben noch die Ziege war, steht der kleine große Zauberer Holunder, mit rosigen Wangen und dem glücklichsten Gesicht, das man sich vorstellen kann! Er reißt die Arme in die Luft und ruft: »Jippijuchhee!«

Das Schwein Ziegenbart aber rennt die Stufen der Schlosstreppe hinab, überquert den Schlosshof und läuft, so schnell es kann, unter dem Torbogen hindurch hinaus ins Flaschenland.
»Den sind wir los«, seufzt Kokosnuss erleichtert.
»Aber«, meldet sich Matilda, »darf er denn jetzt einfach frei herumlaufen?«
»Keine Sorge«, grinst Holunder. »Als Schwein kann er nichts Böses anrichten. Und ohne meine Erlaubnis kann er das Flaschenland nicht verlassen.«

Da bemerkt Kokosnuss, dass der Schlosshof gar nicht mehr leer und verlassen ist. Überall wuseln fleißige Zwerginnen und Zwerge herum. Auch das Schloss selbst ist plötzlich bevölkert von Dienern, Köchen, Wachen und Händlern.
»Seht ihr«, sagt Holunder strahlend. »Mit Ziegenbarts Verwandlung haben sich alle Steinflüche aufgelöst.«

Am Abend dieses Tages gibt Holunder
ein großes Fest im Schlosshof.
Kokosnuss, Matilda, Knut, der Esel
und Gerd das Gespenst sind die
Ehrengäste. Es wird eines der schönsten
Feste, die das Flaschenland je erlebt hat.
Nur Gerd verabschiedet sich um kurz
vor Mitternacht, denn zur Geister-
stunde muss er im Schlosskeller sein.

Am nächsten Morgen bringt Holunder höchstpersönlich Kokosnuss und Matilda auf seinem fliegenden Teppich bis zum Ausgang des Flaschenlandes. Staunend blicken die beiden Freunde über den Teppichrand hinab.
»Da, seht!«, ruft Matilda. »Das Dorf in den Feldern ist wieder bunt und die Zwerge sind wieder ganz lebendig.«

Bald überqueren sie den See und huschen in den Flaschenhals hinein. Am Flaschenausgang landet der Teppich.
»Wenn ihr gleich wieder groß seid, würdet ihr dann den Korken auf die Flasche stecken?«, fragt Holunder.
»Machen wir«, antwortet Kokosnuss.
»Achtung, beim Hinausspringen nach links herumdrehen!«, sagt Holunder und schwingt seinen Zauberstab:

»Akaxi oköxi isebam,
apatzi oputzi klingelang
öffeldöffel dideldum
abbeldabbel links herum!«

Kokosnuss und Matilda nehmen Anlauf und – HUI! – springen sie in weitem Bogen aus der Flasche heraus. Im Sprung drehen sie sich einmal nach links herum. Als sie nur einen winzigen Moment später auf dem weichen Boden des

Klippenwaldes landen, sind sie wieder so groß wie zuvor.
»Wow!«, murmelt Matilda.
»Hier ist der Korken«, sagt Kokosnuss.
Vorsichtig steckt er ihn wieder auf die Flasche. Bevor die beiden Abenteurer zurück zu ihren Pilzkörben gehen, werfen sie noch einen Blick auf das Land in der Flasche. Und als sie ganz genau hinschauen, sehen sie, wie gerade ein winziger Punkt durch den Flaschenhals in Richtung Flaschenland fliegt.

Foto: privat

Ingo Siegner, 1965 in Hannover geboren, wuchs in Großburgwedel auf. Nach Schule und Zivildienst wurde er Sparkassenkaufmann, ging als Au-Pair nach Frankreich, steckte seine Nase in die Universität und landete schließlich bei Vamos, einem hannoverschen Veranstalter für Familienreisen. Auf vielen Reisen erfand er für die Kinder fantastische Geschichten. Nebenher brachte er sich das Zeichnen bei. Mit seinen Büchern vom kleinen Drachen Kokosnuss, die in mehrere Sprachen übersetzt sind, eroberte er auf Anhieb die Herzen der jungen LeserInnen. Ingo Siegner lebt als Autor und Illustrator in Hannover.

Ingo Siegner

Der kleine Drache Kokosnuss und das Vampir-Abenteuer

72 Seiten, ISBN 978-3-570-13702-4

Der kleine Drache Kokosnuss und seine Freundin Matilda trauen ihren Augen nicht: Ein Vampir-Junge vollführt halsbrecherische Flug-Manöver über der Dracheninsel und versetzt alle in Angst und Schrecken. Was soll das? Will Bissbert die Inselbewohner beißen und alle zu Vampiren machen? Nur gut, dass Kokosnuss mutig genug ist, der Sache auf den Grund zu gehen: Vampir-Junge Bissbert sucht nämlich verzweifelt die eine Drachen-Blutgruppe, die Nachtblindheit bei Vampiren heilen kann! Denn Bissberts Vater fliegt nachts immer häufiger gegen Kirchtürme und Wolkenkratzer! Ob Kokosnuss und Matilda die Drachen überreden können, dem kleinen Vampir zu helfen?

Ingo Siegner
Der kleine Drache Kokosnuss und das Geheimnis der Mumie

72 Seiten, ISBN 978-3-570-13703-1

Der kleine Drache Kokosnuss ist schon ganz aufgeregt: Der berühmte Professor Champignon kommt in die Drachenschule und erzählt von den Geheimnissen des alten Ägypten! Matilda und Oskar können da nur müde gähnen. Doch dann sind auch sie mit einem Mal hellwach – denn der Wissenschaftler ist drauf und dran, das Rätsel der geheimen Pharaonen-Grabkammer zu lösen. Und Kokosnuss weiß, wo sich der dazu fehlende Drachenstein befindet ... Gemeinsam machen sie sich auf die Reise zu den Pyramiden. Da wird der Professor plötzlich von zwei fiesen Grabräubern gekidnappt! Doch die haben die Rechnung ohne Kokosnuss & Co. gemacht ...

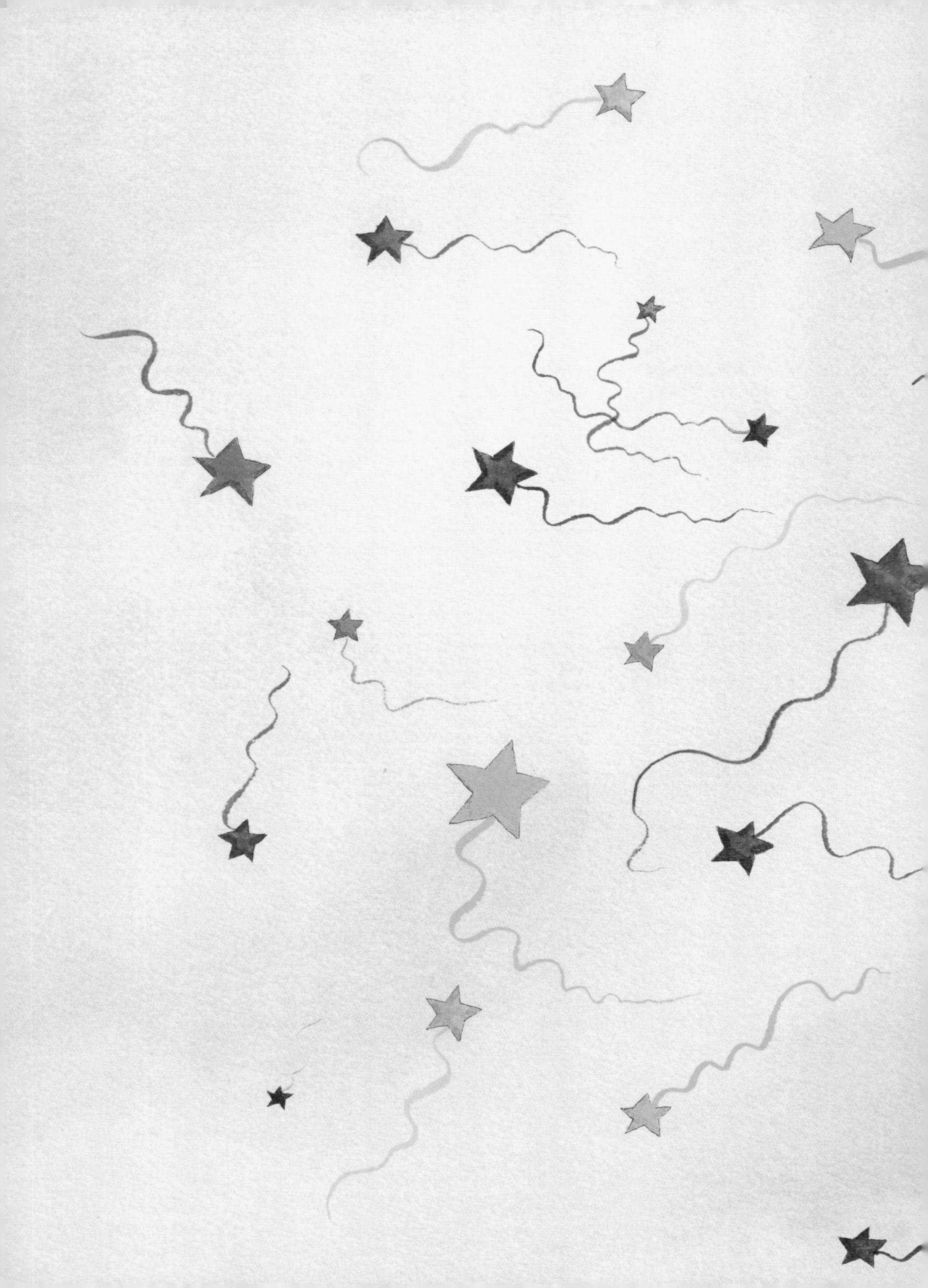